RÉFLEXOLOGIE

REFLÉXOLOGIE

NICOLA HALL

KÖNEMANN

© 1999 pour l'édition française
Könemann Verlagsgesellschaft mbH,
Bonner Str. 126, D-50968 Cologne

Traduction : Pascale Pissarevitch
pour **mot.**
Révision : Sophie Léchauguette
Réalisation : **mot.**, Paris
Chef de fabrication : Detlev Schaper
Impression et reliure : Sing Cheong Printing
Co. Ltd., Hong Kong

Imprimé en Chine

NOTE DE L'ÉDITEUR
Les informations contenues dans ce livre
ne sauraient remplacer un avis autorisé.
Avant toute automédication consultez
un praticien ou un thérapeute qualifié.

Crédits photographiques :
Dwight C.Byers, President,
Ingham Publishing, Inc.,
photo de Eunice Ingam, p. 9 ; Thorsons,
a division of HarperCollins *Publishers,*
photo de Doreen Bayly, p. 9.

Remerciements particuliers à :
Sue Besley, Carly Evans, Julia Holden,
Leon Lawes, Sally-Ann Russell pour leur
concours photographique.

The Plinth Company Ltd, Stowmarket,
Suffolk pour le prêt des objets illustrés.

ISBN : 3-8290-2069-4
10 9 8 7 6 5 4 3 2 1

Sommaire

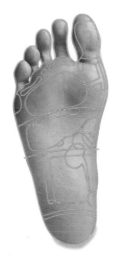

Qu'est-ce que la réflexologie ?

LA RÉFLEXOLOGIE PLANTAIRE EST UNE THÉRAPIE D'APPOINT *consistant à traiter différents troubles par des pressions sur les pieds ou les mains. Chaque région du corps est reliée à une zone très localisée des pieds et des mains, appelée « zone réflexe » : cette correspondance permet de traiter le corps tout entier à partir de points précis.*

Le traitement consiste à appliquer sur ces points réflexes une pression du bout des doigts, essentiellement du pouce. Celle-ci doit être ferme mais légère, et produire chez le patient différentes sensations aux points de contact, qui fourniront au praticien des indications sur le fonctionnement, plus ou moins bon, des différentes parties du corps. Les points où la pression est la plus désagréable signalent un déséquilibre plus important dans les régions correspondantes que ceux où la pression entraîne une gêne moindre.

La réflexologie est aussi une technique de diagnostic : elle permet de localiser les déséquilibres de l'organisme. En intervenant sur ces déséquilibres, le réflexologue est en mesure de traiter un large

Zone réflexe du poumon gauche

Zone réflexe de l'intestin grêle

À GAUCHE **Toutes** *les parties du corps correspondent à différentes zones réflexes situées dans les pieds.*

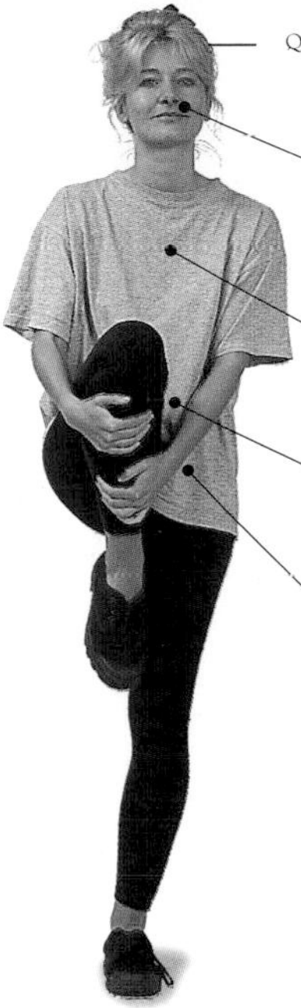

Zone de la tête et du cou :
les orteils

Zone de la cage
thoracique : toute
la surface du métatarse

Zone de l'abdomen :
la voûte plantaire

Zone du pelvis : le talon

éventail de troubles. Enfin, elle peut
être utilisée de façon préventive
pour l'équilibre et le maintien
en bonne santé du corps.

Comme toutes les thérapies
complémentaires, la réflexologie
donne au patient l'occasion de parler
de lui-même et de ses problèmes.
Le praticien est ainsi à même
de mieux les comprendre.

À GAUCHE **Les
différentes parties
du corps sont
représentées dans
des zones plantaires
spécifiques.**

CI-DESSOUS **Comment
maintenir le pied et appliquer
les pressions.**

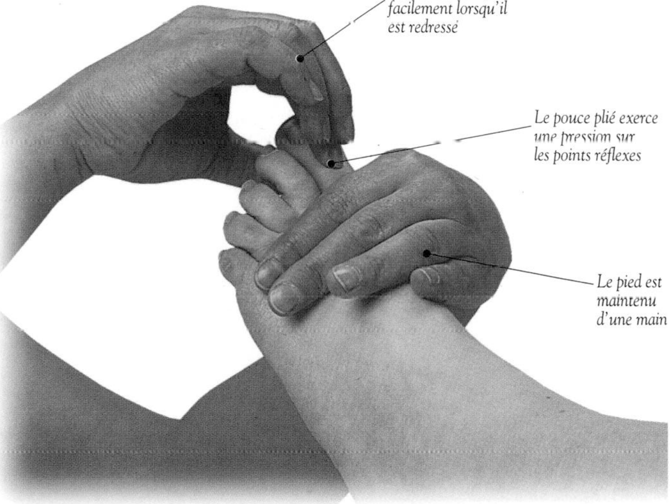

Le pied se manipule
facilement lorsqu'il
est redressé

Le pouce plié exerce
une pression sur
les points réflexes

Le pied est
maintenu
d'une main

Un peu d'histoire

LA RÉFLEXOLOGIE EST *une discipline occidentale récente qui consiste à appliquer une pression sur différentes zones plantaires. Si ses méthodes, et le terme lui-même, constituent une nouveauté, des formes analogues de massage plantaire ont été pratiquées de par le monde depuis des siècles.*

En Chine, la pratique de massages thérapeutiques remonte à plus de 5 000 ans, et certaines des méthodes employées sur les pieds préfiguraient certainement celles de la réflexologie actuelle. À Sakkarah, en Égypte, les fouilles archéologiques d'un tombeau daté de 2330 av. J.-C. ont révélé que les anciens Égyptiens avaient connaissance d'une forme analogue de thérapie. On sait que des techniques similaires ont été également employées en Inde et au Japon. En Amérique du Nord, certaines tribus indiennes pratiquaient une variante de la réflexologie plantaire. Les Indiens Cherokees, en particulier, l'emploient depuis le XVIIᵉ siècle, et l'ont intégrée de nos jours à leurs soins rituels.

3000 av. J.-C.	2300 av. J.-C.	1582	1690	1917
Origines en Chine	Scène retrouvée sur un tombeau à Sakkarah en Égypte	Les médecins Adamus et A'tatis publient en Europe un traité sur les zones réflexes	Les Cherokees d'Amérique du Nord pratiquent une forme de réflexologie	Aux Etats-Unis, les docteurs William Fitzgerald et Edwin Bowers publient un ouvrage sur les zones réflexes, réédité dans une version simplifiée par le Dʳ Joseph Riley

En 1582, un traité sur les zones réflexes est publié en Europe par les docteurs Adamus et A'tatis. À partir des principes exposés dans cet ouvrage, et inspiré par d'autres pionniers en la matière, le Dr William Fitzgerald, médecin ORL au Boston General Hospital, élabore sa propre méthode thérapeutique, qu'il publie en 1917 en collaboration avec le Dr Edwin Bowers. La réflexologie telle qu'elle se pratique aujourd'hui trouve ses fondements dans les travaux du Dr Fitzgerald, et c'est l'Américaine Eunice Ingham, auteur de *Ce que les pieds peuvent raconter grâce à la réflexologie* dans les années trente, qui a permis de les faire connaître au grand public. Cet ouvrage est introduit en 1960

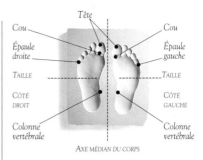

Tête
Cou — — *Cou*
Épaule droite — — *Épaule gauche*
TAILLE — — — — — — — — — — — TAILLE
CÔTÉ DROIT — CÔTÉ GAUCHE
Colonne vertébrale — *Colonne vertébrale*

AXE MÉDIAN DU CORPS

CI-DESSUS *Eunice Ingham fut la première, en 1935, à tracer la carte du corps humain sur la voûte plantaire.*

au Royaume-Uni, puis dans d'autres pays européens, par Doreen Bayly, l'une de ses étudiantes. C'est Eunice Ingham qui baptise « réflexologie » la thérapie par les zones réflexes, et qui dresse la carte des zones réflexes des pieds.

1938	1960	1975	1978	1980
	Doreen Bayly introduit la réflexologie au Royaume-Uni	Parution en Allemagne de *Thérapie plantaire par les zones réflexes*, de Hanne Marquardt	Parution en Grande-Bretagne de *Reflexology today*, de Doreen Bayly	Des études cliniques rapportent que 73 % environ des patients traités sont satisfaits des résultats obtenus

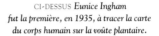

Parution aux États-Unis de *Ce que les pieds peuvent raconter grâce à la réflexologie*, de Eunice Ingham

Les systèmes de zones

LA RÉFLEXOLOGIE REPOSE *sur une segmentation du corps humain en zones longitudinales (verticales) et transversales. C'est par le biais de ces différentes zones, ou canaux, que le réflexologue stimule l'énergie dans l'organisme, pour éliminer les points de congestion, facteurs de déséquilibre.*

ZONES LONGITUDINALES

Les dix zones longitudinales, décrites par le Dʳ Fitzgerald, partent des pieds pour remonter le long des jambes jusqu'au sommet du crâne, et descendent le long des bras jusqu'aux mains. On peut également les parcourir dans l'autre sens, en partant des mains et en remontant par les bras jusqu'à la tête, pour redescendre jusqu'aux pieds en passant par le tronc. Il y a cinq zones du côté droit et cinq zones du côté gauche du corps, la zone 1 reliant le gros orteil au pouce, la zone 2 le second orteil à l'index, la zone 3 le troisième orteil au majeur, et ainsi de suite. Ces zones sont des segments qui ont tous la même largeur en une section donnée du corps.

Chacune d'elles est parcourue par un flux d'énergie qui alimente toutes les parties du corps qu'elle traverse. Puisque ces zones relient les pieds aux mains, les zones réflexes des diverses parties du corps auront la même localisation sur les pieds et sur les mains. Il sera donc facile de dresser la carte des points réflexes du corps sur les pieds et sur les mains.

TRACÉ DES ZONES LONGITUDINALES SUR LES PIEDS

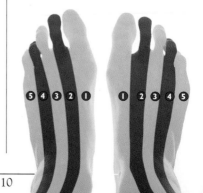

LES ZONES LONGITUDINALES
ET TRANSVERSALES DU CORPS

CI-DESSOUS À GAUCHE
ET À DROITE *Les zones
longitudinales et transversales
du corps se retrouvent sur
les pieds. Les dix zones
longitudinales partent
des orteils pour parcourir
le tronc et redescendre
jusqu'aux doigts.*

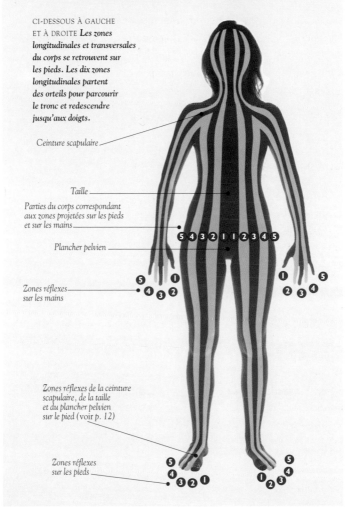

Ceinture scapulaire

Taille

Parties du corps correspondant
aux zones projetées sur les pieds
et sur les mains

Plancher pelvien

Zones réflexes
sur les mains

Zones réflexes de la ceinture
scapulaire, de la taille
et du plancher pelvien
sur le pied (voir p. 12)

Zones réflexes
sur les pieds

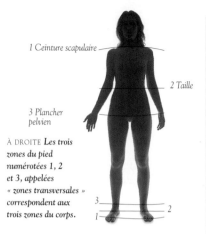

1 Ceinture scapulaire

2 Taille

3 Plancher pelvien

À DROITE *Les trois zones du pied numérotées 1, 2 et 3, appelées « zones transversales » correspondent aux trois zones du corps.*

3

1

2

ZONES TRANSVERSALES

On peut également identifier sur les pieds des zones transversales, décrites pour la première fois par la praticienne allemande Hanne Marquardt : un tracé horizontal délimite trois zones du corps, qui correspondent à trois parties de l'ossature plantaire. Ces trois lignes sont celles de la ceinture scapulaire, de la taille et du plancher pelvien. Le pied compte 26 os, en allant du bout des orteils au talon : les 14 phalanges des orteils, les 5 métatarsiens, et les 7 os du tarse. La ceinture scapulaire se projette à la jonction des phalanges et du métatarse ; la ligne de taille, située à peu près au milieu du pied, sépare le

métatarse du tarse antérieur ; le plancher pelvien suit une ligne imaginaire traversant le tarse et reliant les malléoles de la cheville. Ce découpage transversal permet de localiser et de rattacher plus facilement chaque zone plantaire à une zone du corps.

MÉRIDIENS

Selon certains spécialistes, la réflexologie ne repose pas sur les zones longitudinales mais sur les méridiens, puisqu'ils vont des pieds aux mains. Les méridiens constituent une base essentielle de la médecine chinoise ; ils forment un réseau énergétique parcourant tout le corps. Les douze méridiens (utilisés en acupuncture, acupression et autres disciplines) ne recoupent pas exactement les zones longitudinales, mais le principe reste sensiblement le même.

Les méridiens de l'acupuncture sont de fines lignes parcourant le corps en un réseau clairement défini, et il arrive que certains réflexologues agissent sur les points d'acupuncture lors d'un traitement. Réflexologues et acupuncteurs travaillent-ils sur le même système ? Rien ne nous permet de l'affirmer aujourd'hui.

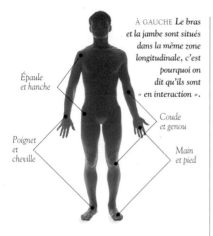

*À GAUCHE **Le bras et la jambe sont situés dans la même zone longitudinale, c'est pourquoi on dit qu'ils sont « en interaction ».***

Épaule
et hanche

Coude
et genou

Poignet
et
cheville

Main
et pied

RÉGIONS CORRÉLATIVES

Comme les dix zones longitudinales traversent tout le corps, y compris les bras et les jambes, on dit que ceux-ci sont « corrélatifs » : ainsi un rapport particulier unit l'épaule à la hanche ; le coude au genou ; le poignet à la cheville ; la main au pied.

Les régions situées entre les articulations sont associées de la même façon ; ainsi, le bras renvoie à la cuisse, et l'avant-bras au mollet. Il existe également un lien entre les différentes parties situées sur le même côté : le coude droit est relié au genou droit et le poignet gauche à la cheville gauche.

Ainsi, non seulement le réflexologue travaille directement sur la région affectée, mais il peut aussi agir sur une région corrélative, ce qui peut se révéler d'un grand secours lorsqu'une partie du corps est inaccessible ou extrêmement douloureuse : si le patient souffre d'une douleur intense au genou droit, on pratiquera des massages réflexologiques sur le coude droit ; si la cheville gauche est fracturée, c'est le poignet gauche qui sera massé pour stimuler le processus de guérison.

Plancher pelvien   Taille   Ceinture scapulaire

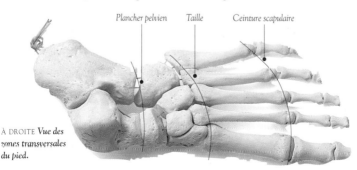

*À DROITE **Vue des zones transversales du pied.***

Comment agit la réflexologie ?

COMME DE NOMBREUSES THÉRAPIES *d'appoint, la réflexologie n'est fondée sur aucune théorie scientifiquement prouvée, autre que la réceptivité des terminaisons nerveuses (chaque plante de pied en compte 70 000). La plupart des réflexologues pensent qu'en travaillant sur les zones réflexes, le flux d'énergie parcourant les zones longitudinales du corps s'équilibre, contribuant ainsi au bon fonctionnement de l'organisme.*

NOTRE STRESS QUOTIDIEN

Le stress est souvent le principal responsable de nos problèmes de santé. C'est le résultat des tensions quotidiennes et de certaines contraintes que nous imposons à notre corps, la pollution, les additifs et les pesticides contenus dans les aliments, ou le mode de vie des grandes villes.

Nous subissons tous le stress d'une façon ou d'une autre, et nombreux sont les troubles physiques qui en résultent : maux de tête et migraines, tension de la nuque, mal de dos, problèmes digestifs, affaiblissements du système immunitaire, hypertension, affections cutanées, rhumes fréquents et autres infections.

Se presser pour être à l'heure à ses rendez-vous.

Manger en travaillant, pendu à son portable.

Les soucis professionnels – autant de facteurs de stress.

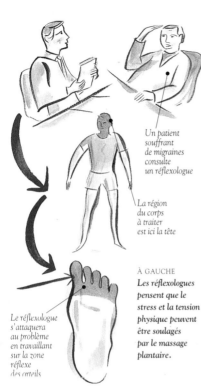

Un patient
souffrant
de migraines
consulte
un réflexologue

La région
du corps
à traiter
est ici la tête

À GAUCHE
**Les réflexologues
pensent que le
stress et la tension
physique peuvent
être soulagés
par le massage
plantaire.**

Le réflexologue
s'attaquera
au problème
en travaillant
sur la zone
réflexe
des orteils

qui appréhende le corps dans son ensemble et non comme une série de symptômes isolés – qui peut avoir un effet bénéfique sur le corps comme sur l'esprit.

Il soulage les symptômes dus au stress, et son action équilibrante améliore l'état de santé en s'attaquant aux causes profondes plutôt qu'aux symptômes de la maladie. Cette amélioration de l'état physique se répercute sur le psychisme, créant un sentiment de bien-être qui peut à son tour réduire le stress et prévenir la maladie. Un traitement vous apportera le calme et la sérénité, une attitude plus positive, vous rendant capable d'affronter le stress et tous les problèmes de santé qui lui sont liés.

UN MEILLEUR MODE DE VIE

Si la réflexologie ne peut empêcher les agressions du quotidien, elle peut cependant nous aider à mieux y faire face et à nous détendre : l'un des grands bienfaits de la réflexologie, c'est la relaxation.

Le traitement participe d'une démarche holistique – c'est-à-dire

La réflexologie peut
contribuer à un mode
de vie plus agréable
et plus sain.

Le traitement

AVANT LE DÉBUT DU TRAITEMENT *le praticien se renseignera sur vos antécédents médicaux, sur tout ce qui vous concerne, vous et votre santé : symptômes physiques, habitudes de sommeil, mode de vie, état émotionnel et psychique.* Ces informations permettront à votre praticien de déterminer quel type de traitement vous convient, et si la réflexologie est adaptée à votre cas.

CI-DESSUS *Avant le début du traitement, le praticien procède à un questionnaire détaillé sur votre passé médical.*

Vous êtes confortablement assis en position inclinée, le dos, la nuque et les jambes bien soutenus, les pieds surélevés pour faciliter le travail du praticien. Sauf impossibilité, votre réflexologue agira sur vos pieds.

Le traitement commence par un examen des pieds : à l'aide d'un linge humide, le praticien les débarrasse de la saleté superficielle et les rafraîchit lorsqu'il fait très chaud. Cet examen permet de déceler toute trace de callosités, de cors, de crevasses entre les orteils, d'ongles incarnés ou d'infections telles que les verrues plantaires.

Vos pieds seront ensuite massés à l'aide de talc : fréquemment utilisé, il permet d'absorber l'humidité des pieds un peu moites, ou d'adoucir les peaux très sèches. Certains praticiens préfèrent utiliser de l'huile, mais cette pratique n'est pas toujours conseillée. Ces préliminaires vous permettront de vous habituer au contact des mains du praticien et vous aideront à vous détendre.

Après cette première approche, le praticien vous expliquera le déroulement du traitement. Si vous appréhendez la douleur, vos inquiétudes seront vite apaisées :

la réflexologie ne fait pas mal.
Les zones sensibles sont manipulées
avec douceur et l'effet est plus
apaisant que douloureux.

Pour obtenir ce résultat, tous les
points réflexes sur les deux pieds
feront l'objet d'une manipulation
bien précise (*voir* p. 26-27).

LA RELAXATION PAR LA RÉFLEXOLOGIE

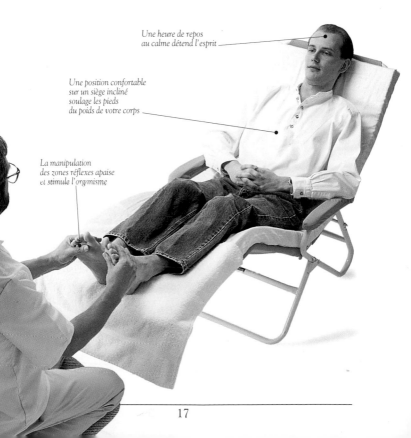

*Une heure de repos
au calme détend l'esprit*

*Une position confortable
sur un siège incliné
soulage les pieds
du poids de votre corps*

*La manipulation
des zones réflexes apaise
et stimule l'organisme*

Déroulement
du traitement

CI-DESSUS *Des serviettes sont placées sous les pieds pendant le traitement.*

DE NOMBREUSES PARTIES *du corps existent par paires, réparties symétriquement de chaque côté d'un plan médian ; leurs zones réflexes se retrouveront sensiblement au même endroit sur les deux pieds. D'autres, comme le cœur, localisées d'un seul côté du corps, ne seront présentes que sur un pied – dans ce cas précis, le pied gauche. Les zones réflexes s'étendent sur le dessous, les côtés et le dessus des pieds, et chaque partie du pied correspond à une région du corps.*

L'anatomie du corps humain se reflète dans la forme des mains et des pieds, divisés en zones longitudinales et transversales (*voir* p. 10-12). À chaque partie du corps correspond une zone réflexe située sur les pieds et sur les mains.

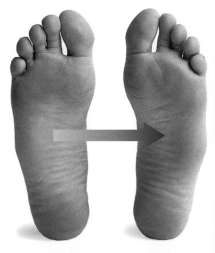

À DROITE **On traite** *généralement toutes les zones du pied droit avant de passer à celles du pied gauche.*

Le traitement commence souvent par le pied droit, pour se poursuivre sur le pied gauche, bien que les méthodes puissent différer selon les praticiens. Après un massage complet des deux pieds, les zones réflexes correspondant à la région du corps affectée reçoivent une attention particulière. Dans ce cas, il se peut que le réflexologue travaille simultanément des deux côtés ; par exemple, les zones réflexes des reins seront stimulées sur les deux pieds en même temps pour une meilleure efficacité.

QUE RESSENT-ON ?

1 Les sensations varient en fonction des caractéristiques personnelles du patient. Le degré de sensibilité d'une zone plantaire est proportionnel au déséquilibre de la région du corps correspondante.

2 À certains endroits, le patient peut sentir la pression sans éprouver une gêne particulière.

3 À d'autres, la pression éveillera une légère sensation d'inconfort.

4 Dans certaines zones particulièrement sensibles, le massage pourra causer un élancement aigu, presque comme un clou enfoncé dans le pied : cette douleur fugace sera instantanément éliminée par l'action du praticien.

Zone réflexe de la tête

Zone réflexe de la thyroïde

Zone réflexe du rein

À GAUCHE *Pendant le traitement, les pieds sont toujours soutenus. Après un massage complet du pied, le praticien revient sur les zones nécessitant un soin particulier.*

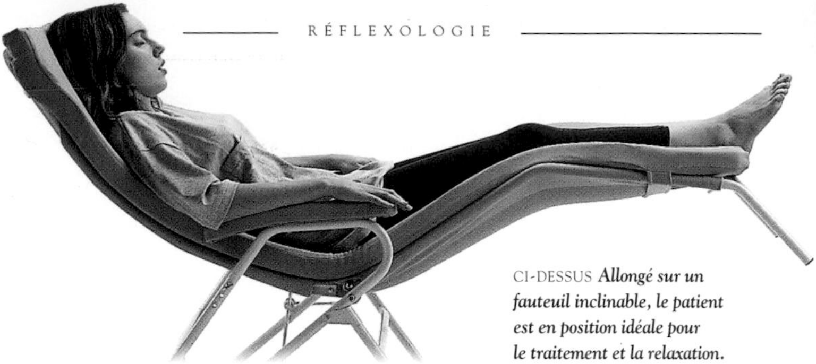

CI-DESSUS *Allongé sur un fauteuil inclinable, le patient est en position idéale pour le traitement et la relaxation.*

DURÉE DU TRAITEMENT

Les séances, d'une heure en moyenne, seront hebdomadaires. Même si vous allez déjà mieux après la première, il est important d'en faire au moins trois pour s'assurer un résultat durable. Au bout de trois visites, vous saurez si vous réagissez de façon satisfaisante à la thérapie. Certains patients choisissent de revenir régulièrement toutes les six ou huit semaines, pour le petit « coup de pouce » supplémentaire, qui les aidera à rétablir l'équilibre de leur organisme.

DURÉE DU TRAITEMENT

• Une séance dure environ une heure.

• Le traitement s'étale au moins sur trois séances, hebdomadaires dans la plupart des cas.

• Quatre à six séances sont souvent nécessaires.

• Les séances peuvent s'espacer à mesure que votre état s'améliore.

• Un traitement régulier permet de consolider les améliorations et joue un rôle préventif.

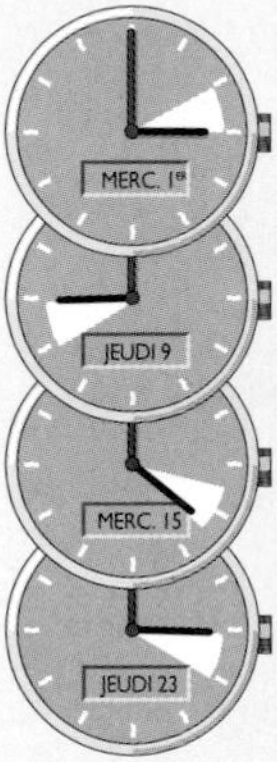

MERC. 1ᵉʳ

JEUDI 9

MERC. 15

JEUDI 23

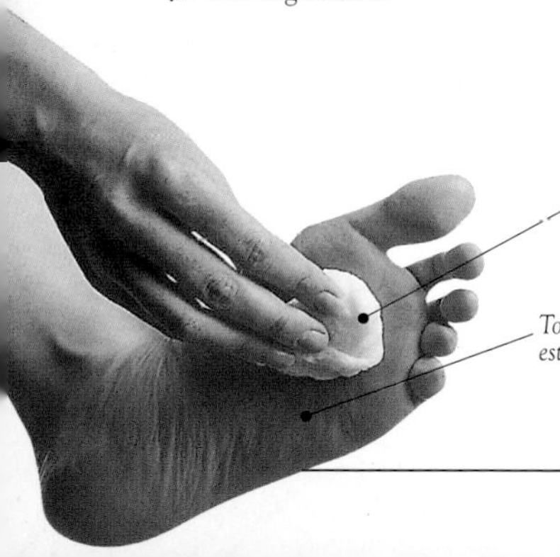

Le pied est nettoyé et rafraîchi à l'aide d'un linge mouillé

Toute trace d'infection est identifiée

À GAUCHE *Les pieds doivent être parfaitement propres avant le traitement.*

Il arrive que le traitement entraîne certaines réactions (légères nausées, diarrhées bénignes), à mesure que le corps commence à éliminer des toxines.
Ces symptômes n'ont cependant jamais un caractère gênant et constituent au contraire un signe encourageant : ils indiquent que le traitement est efficace.

RÉACTIONS QUE PEUT ENTRAÎNER LE TRAITEMENT

- Disparition des symptômes du rhume : évacuation des sinus et des sécrétions catarrhales ; le nez cesse de couler

- Toux accompagnant l'élimination du mucus présent dans les poumons et les voies respiratoires

- Mictions plus fréquentes

- Transit intestinal plus rapide
- Flatulences

- Maux de tête

- Sudation accrue

- Démangeaisons – certaines affections cutanées peuvent s'aggraver avant de s'améliorer

- Bâillements

- Fatigue

- Surcroît d'énergie

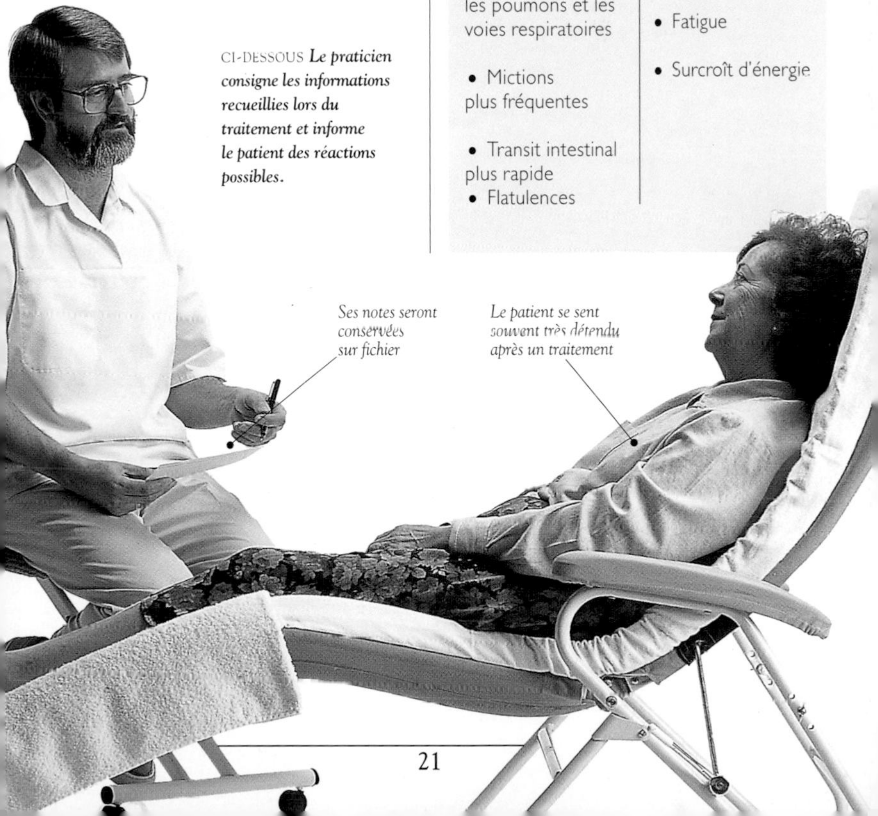

CI-DESSOUS *Le praticien consigne les informations recueillies lors du traitement et informe le patient des réactions possibles.*

Ses notes seront conservées sur fichier

Le patient se sent souvent très détendu après un traitement

LE PIED DROIT

Le pied droit comporte des zones précises directement associées aux parties droites du corps.

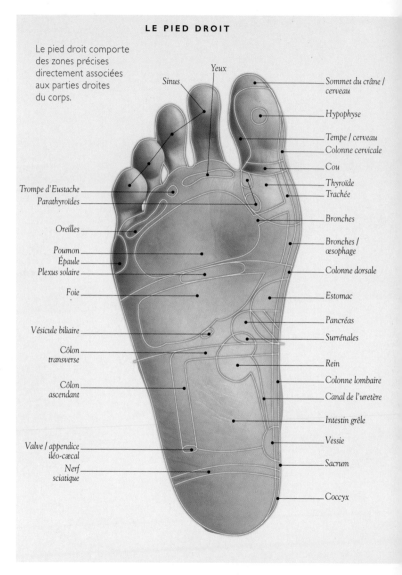

Yeux

Sinus

Sommet du crâne / cerveau

Hypophyse

Tempe / cerveau
Colonne cervicale

Cou

Thyroïde
Trachée

Bronches

Bronches / œsophage

Colonne dorsale

Estomac

Pancréas
Surrénales

Rein

Colonne lombaire
Canal de l'uretère

Intestin grêle

Vessie

Sacrum

Coccyx

Trompe d'Eustache
Parathyroïdes

Oreilles

Poumon
Épaule
Plexus solaire

Foie

Vésicule biliaire

Côlon transverse

Côlon ascendant

Valve / appendice iléo-cæcal
Nerf sciatique

LE PIED GAUCHE

Le pied gauche comporte des zones précises directement associées aux parties gauches du corps.

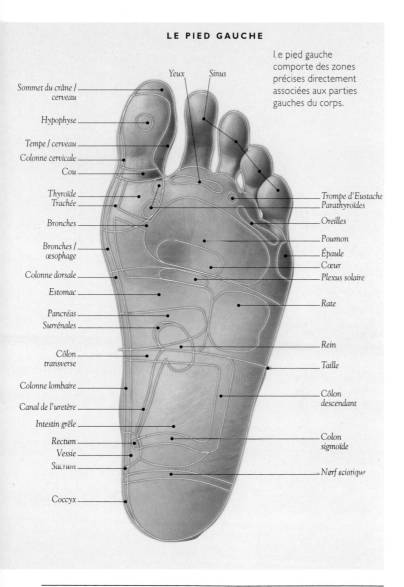

Sommet du crâne / cerveau

Hypophyse

Tempe / cerveau

Colonne cervicale

Cou

Thyroïde

Trachée

Bronches

Bronches / œsophage

Colonne dorsale

Estomac

Pancréas

Surrénales

Côlon transverse

Colonne lombaire

Canal de l'uretère

Intestin grêle

Rectum

Vessie

Sacrum

Coccyx

Yeux

Sinus

Trompe d'Eustache

Parathyroïdes

Oreilles

Poumon

Épaule

Cœur

Plexus solaire

Rate

Rein

Taille

Côlon descendant

Colon sigmoïde

Nerf sciatique

LES CÔTÉS DES PIEDS

Les zones réflexes du système
reproducteur sont situées
principalement sur les côtés
des pieds et sur les chevilles.

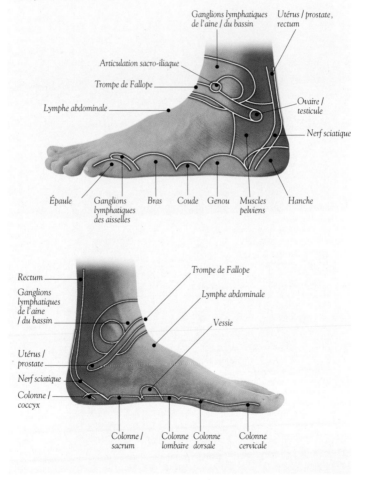

Ganglions lymphatiques
de l'aine / du bassin

Utérus / prostate,
rectum

Articulation sacro-iliaque

Trompe de Fallope

Lymphe abdominale

Ovaire /
testicule

Nerf sciatique

Épaule   Ganglions   Bras   Coude   Genou   Muscles   Hanche
lymphatiques   pelviens
des aisselles

Rectum

Trompe de Fallope

Ganglions
lymphatiques
de l'aine
/ du bassin

Lymphe abdominale

Vessie

Utérus /
prostate

Nerf sciatique

Colonne /
coccyx

Colonne /   Colonne   Colonne   Colonne
sacrum   lombaire   dorsale   cervicale

LE DESSUS DES PIEDS

Les zones réflexes du système
lymphatique sont situées
principalement sur le dessus
des pieds.

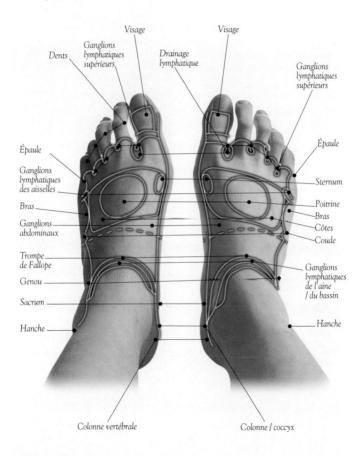

Visage

Ganglions
lymphatiques
supérieurs

Dents

Visage

Drainage
lymphatique

Ganglions
lymphatiques
supérieurs

Épaule

Ganglions
lymphatiques
des aisselles

Bras

Ganglions
abdominaux

Trompe
de Fallope

Genou

Sacrum

Hanche

Épaule

Sternum

Poitrine

Bras

Côtes

Coude

Ganglions
lymphatiques
de l'aine
/ du bassin

Hanche

Colonne vertébrale

Colonne / coccyx

Comment tenir le pied

LE RÉFLEXOLOGUE UTILISE *les deux mains, l'une pour masser avec le pouce ou les doigts, l'autre pour maintenir la partie du pied sur laquelle il travaille.*

L a pression se fait avec le côté de l'extrémité du pouce, sans que l'ongle s'enfonce dans le pied. La pression est maintenue quelques instants puis l'on traite le point suivant.

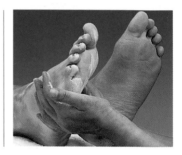

Pendant le traitement, les deux mains sont en contact avec le pied

L orsqu'un point réflexe se révèle particulièrement sensible, le praticien diminue la pression tout en la maintenant le temps nécessaire à ce que la douleur s'apaise. En cas de lésion grave, consultez un médecin avant tout traitement.

À GAUCHE *Le pied est soutenu pendant l'examen.*

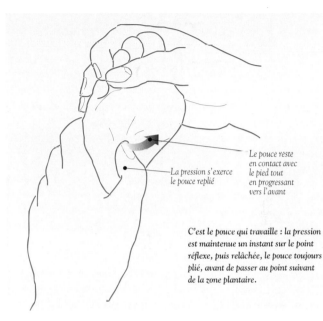

La pression s'exerce
le pouce replié

Le pouce reste
en contact avec
le pied tout
en progressant
vers l'avant

*C'est le pouce qui travaille : la pression
est maintenue un instant sur le point
réflexe, puis relâchée, le pouce toujours
plié, avant de passer au point suivant
de la zone plantaire.*

Le pouce se déplace vers l'avant pour parcourir chaque point réflexe de la zone plantaire déterminée. Il doit rester replié en permanence. La pression est appliquée sur un point, puis relâchée ; le pouce se soulève légèrement juste le temps de passer au point suivant ; il doit rester le plus possible en contact avec le pied, tout en progressant avec douceur, sans à-coups.

Par endroits, on peut sentir, juste sous la peau, la présence de dépôts ayant la consistance de cristaux : ils indiquent un déséquilibre qui peut être traité par une rotation prudente du pouce sur la zone concernée, ce qui favorise leur dispersion.

Le pied doit être maintenu fermement mais doucement. Vous éprouverez peut-être une certaine réticence à appliquer une forte pression, mais avec un peu de pratique, vous apprendrez à être ferme sans être brutal ni faire mal.

Le traitement
pas à pas

CI-DESSOUS **On peut traiter le corps entier en une seule séance.**

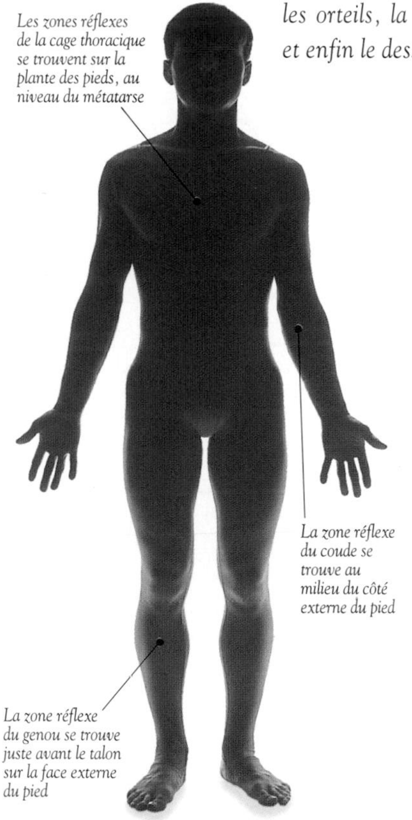

UN TRAITEMENT COMPLET *consiste à travailler toutes les zones du pied droit avant de passer au pied gauche en commençant par manipuler les orteils, la totalité de la plante, puis les côtés, et enfin le dessus de chaque pied.*

Les zones réflexes de la cage thoracique se trouvent sur la plante des pieds, au niveau du métatarse

La zone réflexe du coude se trouve au milieu du côté externe du pied

La zone réflexe du genou se trouve juste avant le talon sur la face externe du pied

LA TÊTE ET LE COU

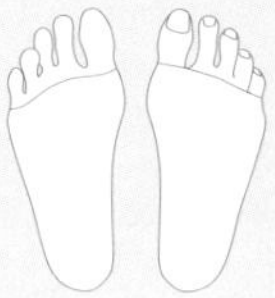

Les zones réflexes de la tête et du cou se trouvent dans la région des orteils.

LA COLONNE VERTÉBRALE

Les zones réflexes de la colonne vertébrale longent la face interne des deux pieds.

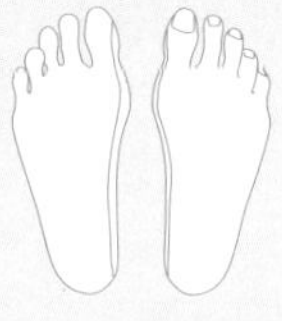

LA CAGE THORACIQUE

Les zones réflexes du thorax se trouvent sur les deux pieds entre les zones réflexes de la ceinture scapulaire et celles du diaphragme.

L'ABDOMEN

Les zones réflexes de l'abdomen sont situées sur les deux pieds entre la ligne du diaphragme et la limite du talon.

LE BASSIN

Les zones réflexes du bassin couvrent toute la surface des talons et la face externe des chevilles sur les deux pieds.

LES MEMBRES

Les zones réflexes des membres longent le côté externe des deux pieds.

LES GLANDES GÉNITALES

La zone réflexe des glandes génitales s'étire sur le dessus du pied entre les deux malléoles des chevilles.

LE SYSTÈME LYMPHATIQUE

Les zones réflexes des glandes lymphatiques et du canal thoracique se trouvent sur le dessus des pieds.

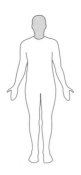

La tête et le cou

LES ZONES RÉFLEXES de la tête et du cou sont situées dans la région des orteils sur les deux pieds, la tête elle-même se trouvant représentée par les deux gros orteils.

1 Sur le dessous du gros orteil, la partie supérieure représente le sommet de la tête et du cerveau, la face extérieure représente la tempe et le côté du cerveau correspondant, et la pulpe du gros orteil, l'arrière de la tête et du cerveau. La zone de l'hypophyse se trouve presque au centre de la pulpe du gros orteil.

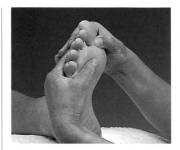

2 La zone du cou se trouve à la base du gros orteil, juste au-dessus de son articulation avec la plante du pied. Le dessous représente l'arrière du cou. Le côté interne représente la septième et dernière vertèbre cervicale, à partir de laquelle sont innervés les bras et les mains.

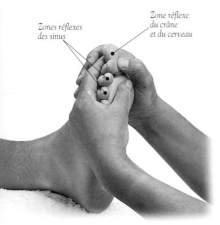

Zones réflexes des sinus

Zone réflexe du crâne et du cerveau

À GAUCHE **Les orteils** sont le siège des zones réflexes de la tête et du cou, sinus compris.

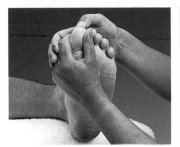

3 Les zones réflexes du sommet du crâne et du cerveau se trouvent juste sous l'ongle du gros orteil.

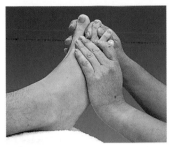

5 Les zones des sinus sont localisées sur la partie supérieure de la pulpe et sur les côtés des orteils.

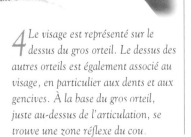

Zone réflexe du visage

4 Le visage est représenté sur le dessus du gros orteil. Le dessus des autres orteils est également associé au visage, en particulier aux dents et aux gencives. À la base du gros orteil, juste au-dessus de l'articulation, se trouve une zone réflexe du cou.

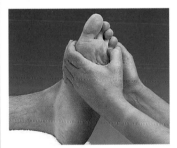

6 La zone réflexe de l'œil se trouve juste au-dessous de la jonction des deuxième et troisième orteils et de la plante du pied. La zone réflexe de l'oreille se situe entre le quatrième et le cinquième orteil au même niveau. La zone réflexe de la trompe d'Eustache (qui relie l'oreille à la gorge) est localisée entre les zones de l'œil et de l'oreille.

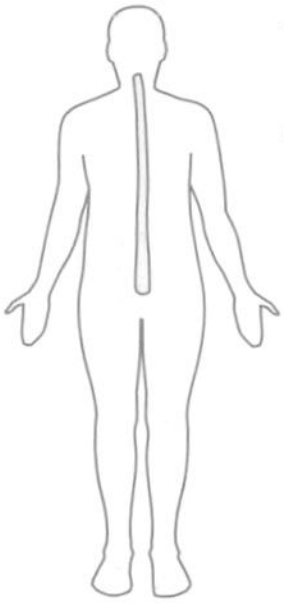

La colonne vertébrale

LA ZONE RÉFLEXE de la colonne vertébrale longe le bas de la face interne des pieds, en suivant la voûte osseuse depuis le côté du gros orteil jusqu'à l'arrière du talon. Cette zone comprend la zone cervicale (région de la nuque), la zone dorsale ou thoracique, la zone lombaire, et la zone du sacrum et du coccyx. Le traitement commence sur la zone réflexe cervicale de la colonne vertébrale, pour descendre jusqu'au rebord interne du talon.

1 La zone correspondant à la colonne vertébrale est l'intérieur de la voûte plantaire. Sa courbe naturelle reflète la forme de la colonne vertébrale : on peut ainsi facilement identifier la colonne cervicale, dorsale, puis lombaire, jusqu'au sacrum et au coccyx.

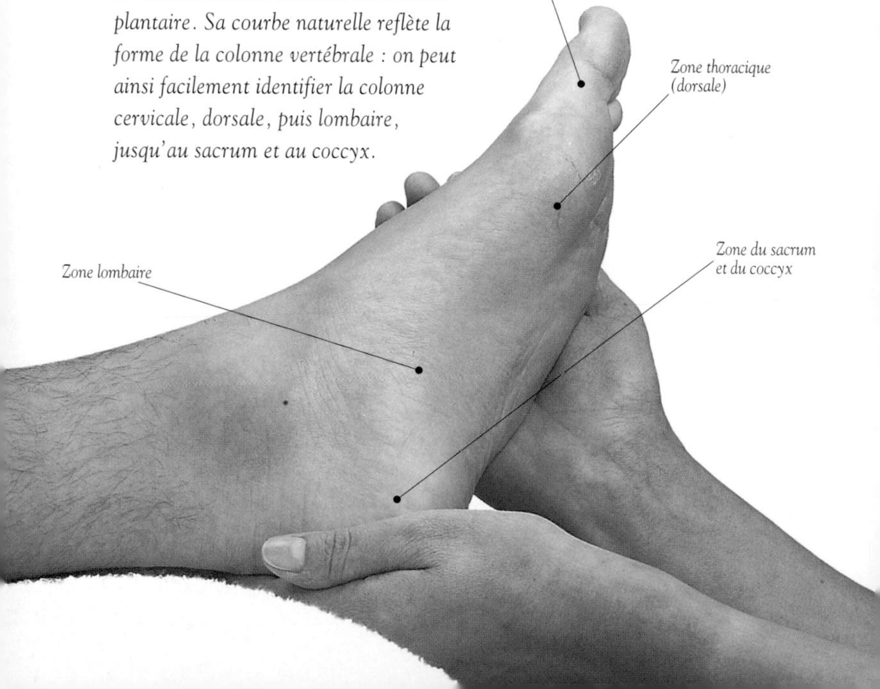

Zone cervicale

Zone thoracique (dorsale)

Zone du sacrum et du coccyx

Zone lombaire

2 La zone réflexe de la colonne cervicale, correspondant à la région de la nuque, s'étend le long du côté interne du gros orteil.

3 La zone réflexe de la zone thoracique ou dorsale longe le côté interne du premier métatarsien (voir p. 12), jusqu'à la ligne de la taille.

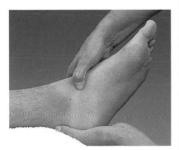

4 La zone réflexe lombaire part de la ligne de la taille pour longer les os du tarse (voir p. 12) en suivant le rebord interne de la voûte plantaire, jusqu'à un point situé à peu près au niveau de la malléole interne. La zone réflexe de la vessie est située juste sous la zone lombaire vers l'intérieur du pied.

5 Le sacrum et le coccyx, à la base de la colonne vertébrale, sont représentés le long des os du tarse, juste avant l'arrière du talon. La zone réflexe sciatique se situe sur le nerf sciatique lui-même, qui se divise en deux le long de la jambe, et enserre le talon à la façon d'un étrier, rendant cette partie du pied particulièrement sensible.

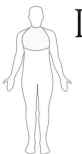

La cage thoracique

LA ZONE RÉFLEXE *de la poitrine, localisée sur la plante des pieds, est comprise entre la zone de la ceinture scapulaire (grosso modo la base des orteils) et la ligne du diaphragme (ou de la taille), c'est-à-dire au niveau du métatarse, sur le dessus et le dessous du pied.*

La zone de la poitrine comprend les zones réflexes des parties du corps suivantes : l'appareil respiratoire, la trachée, les bronches (conduits aériens) et les poumons ; le cœur ; l'œsophage (passage des aliments de la bouche à l'estomac) ; la thyroïde et les glandes parathyroïdes (*voir* ci-dessous) ; les côtes et le sternum. Cette zone est aussi le siège de points réflexes de passages importants vers le système digestif, ainsi que du nerf qui commande le diaphragme.

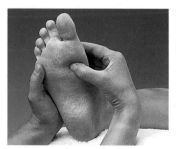

1 La zone réflexe des bronches se trouve sur les deux pieds à la base de la plante du gros orteil. Pour la zone réflexe de la thyroïde, voir p. 22.

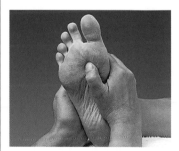

2 Les quatre petites glandes parathyroïdes agissent sur les taux de calcium et de phosphore de l'organisme. Les parathyroïdes inférieures sont représentées en bas de l'extérieur de la plante du gros orteil.

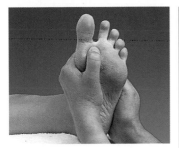

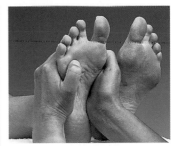

3 La zone réflexe des parathyroïdes supérieures est représentée au sommet de l'extérieur de la plante du gros orteil, toujours sur les deux pieds.

4 La zone réflexe des poumons couvre presque toute la surface de la plante des pieds. La zone réflexe de la trachée débute à la base du gros orteil pour longer le rebord interne de la plante du pied. La zone réflexe des bronches traverse la plante du gros orteil et relie la zone des poumons à celle de la trachée.

Travail du pouce sur la zone réflexe du cœur, située sur le pied gauche

5 La zone réflexe de l'œsophage chevauche celle de la trachée, mais elle s'étend jusqu'à la ligne du diaphragme sur les deux pieds. La zone réflexe du cœur, sur le pied gauche, se trouve juste au-dessus de la ligne du diaphragme.

L'abdomen

LA ZONE RÉFLEXE de l'abdomen va de la ligne du diaphragme (juste sous l'avant de la plante des pieds) à celle du bassin (ligne imaginaire qui rejoint les deux malléoles de la cheville). On trouve dans cette partie du pied certaines zones réflexes du système digestif (estomac, foie, vésicule biliaire et intestins), une partie de l'appareil urinaire (les reins drainés par les canaux de l'uretère), une partie du système hormonal, avec le pancréas, les glandes surrénales et la rate.

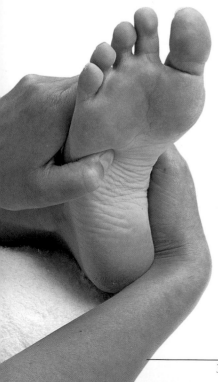

1 La zone réflexe du foie, sur le pied droit uniquement, occupe un triangle compris entre la ligne du diaphragme et celle de la taille. La zone réflexe de la vésicule biliaire, juste au-dessous, jouxte la ligne de la taille.

2 La zone réflexe de l'estomac, entre les lignes du diaphragme et de la taille, chevauche la zone réflexe du pancréas.

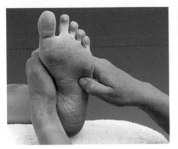

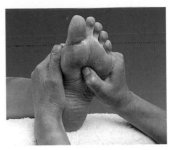

3 La zone réflexe de la rate,
sur le pied gauche uniquement,
se trouve près du bord externe
(en s'éloignant de l'axe médian
du corps) de la zone abdominale.
La rate filtre les toxines et les
bactéries du système lymphatique
et produit des anticorps.

4 La zone réflexe du plexus solaire,
sur les deux pieds, se trouve juste
au-dessous de la ligne du diaphragme.
Le plexus solaire est un réseau
nerveux dont les ramifications
occupent toute la cavité abdominale ;
le massage de ces points réflexes agit
contre le stress, l'angoisse,
l'irritabilité et la nervosité.

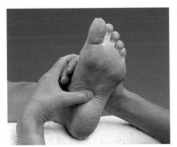

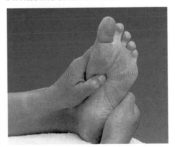

5 La zone réflexe de l'intestin grêle,
sur les deux pieds, entre la ligne
de taille et le talon, est entourée par
la zone réflexe du gros intestin,
qui commence à la limite inférieure
de la plante du pied.

6 La zone réflexe des glandes
surrénales, au-dessus de la ligne
de la taille, surmonte la zone réflexe
des reins sur les deux pieds.

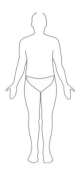

Le bassin

LA RÉGION DU BASSIN *se projette sur la surface du talon. Le plancher pelvien est représenté par une ligne imaginaire qui relie les deux malléoles de la cheville. Les zones réflexes du bassin couvrent également le côté externe du pied.*

Les organes représentés sur la zone pelvienne du pied sont la vessie, les glandes génitales et le rectum. À l'arrière de cette zone se trouvent les zones réflexes du nerf sciatique, l'articulation sacro-iliaque (qui relie le sacrum de la colonne vertébrale aux os iliaques du bassin) et les muscles pelviens.

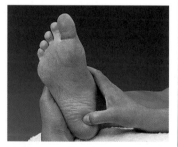

1 La zone réflexe du nerf sciatique est en fait le nerf lui-même. Il enserre comme un étrier les deux côtés charnus du talon, ce qui explique son extrême sensibilité.

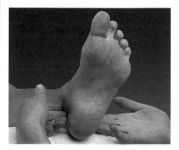

2 La zone réflexe du nerf sciatique s'étend également de chaque côté du pied, remontant sur une courte portion à l'arrière de la jambe.

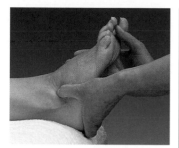

3 On peut masser la zone réflexe de l'articulation sacro-iliaque, sur la face latérale externe du talon, si cette région est douloureuse durant la grossesse – mais en aucun cas pendant les trois premiers mois.

DOREEN BAYLY

À une époque où la réflexologie éveillait encore peu d'intérêt, Doreen Bayly (1900-1979) s'employa à faire connaître la discipline. En dépit d'un intérêt croissant pour ses travaux, cette pionnière mourut peu avant la reconnaissance méritée de la réflexologie.

Zone réflexe des muscles pelviens

Les membres

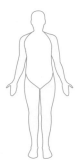

LES ZONES RÉFLEXES *des membres longent le bord externe du pied. Les membres droits et gauches sont projetés respectivement sur les pieds droit et gauche.*

1 La zone réflexe de l'épaule se trouve à la base du petit orteil sur la plante et sur le dessus de chaque pied.

Zone réflexe
de l'épaule

La main gauche travaille
sur la zone réflexe
de l'épaule droite

La pression
s'exerce avec
le pouce droit

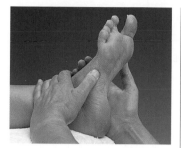

2 La zone réflexe du bras s'étend de la zone de l'épaule à la protubérance osseuse située à mi-chemin du bord externe du pied.

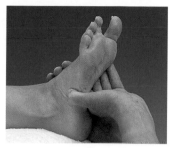

3 La zone réflexe du coude est située sur cette protubérance osseuse qui correspond à la base du métatarse. La manipulation de ce point réflexe permet de soulager le « tennis elbow » et les courbatures à répétition.

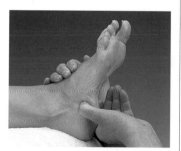

4 La zone réflexe du genou (et du mollet), en forme de demi-lune orientée vers l'arrière, se trouve au-dessous de la même protubérance osseuse, sur la partie supérieure de la face externe du talon. Genoux droit et gauche : chacun représenté sur son pied respectif.

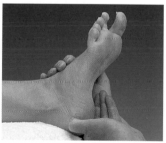

5 La zone réflexe de la hanche (et de la cuisse) en forme de demi-lune orientée vers l'arrière, se trouve sur la partie inférieure de la face externe du talon. Hanches droite et gauche : chacune est représentée sur son pied respectif.

Les glandes et les organes reproducteurs

CHEZ LA FEMME, *les zones génitales concernent les ovaires, les trompes de Fallope et l'utérus, tandis que les zones génitales masculines renvoient aux testicules, aux canaux déférents, aux vésicules séminales, à la prostate, à l'urètre et au pénis.*

Les zones réflexes du système reproducteur se trouvent sur les côtés et le dessus des pieds. Chez l'homme, les zones réflexes des testicules, des canaux déférents, des vésicules séminales, de la prostate, de l'urètre et du pénis, se trouvent dans cette région du pied. Chez la femme, les zones réflexes des ovaires, de l'utérus, et des trompes de Fallope sont également situées sur cette partie du pied. Les glandes génitales des deux sexes sont également représentées sur le pied. Les zones situées sur les bords des pieds étant relativement osseuses, la pression exercée se fera plus légère.

Zone réflexe de l'ovaire chez la femme, des testicules chez l'homme

1 La zone réflexe de l'ovaire ou des testicules se trouve à mi-chemin entre la malléole externe et l'arrière du talon.

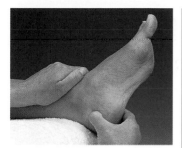

*3 La zone réflexe de la trompe
de Fallope chez la femme et du
canal déférent chez l'homme relie
les deux autres zones génitales
en passant sur le dessus du pied,
juste à hauteur des malléoles.
Trompes de Fallope et ovaires gauches
et droits se traitent respectivement
sur les pieds gauche et droit.*

*2 La zone réflexe de l'utérus chez
la femme et de la prostate chez
l'homme se trouve à mi-chemin entre
la malléole interne et l'arrière
du talon. Il existe également une
zone réflexe en remontant vers
l'arrière de la jambe, de chaque côté
du tendon d'Achille.*

Les zones réflexes du pied gauche
renvoient aux glandes et organes
génitaux situés du même côté

CI-DESSOUS **Sur le dessus
du pied, la pression des doigts
est utilisée pour travailler
les zones reflexes du systeme
reproducteur.**

Trompe de Fallope
chez la femme,
ou canal déférent
chez l'homme

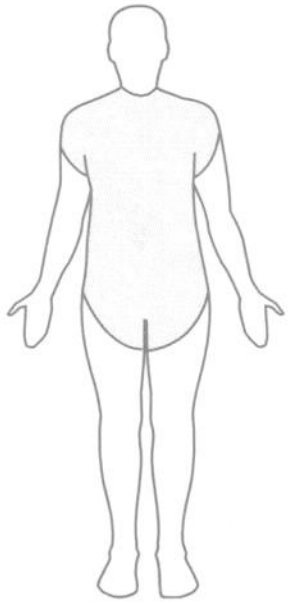

Le système lymphatique

LES ZONES RÉFLEXES *du système lymphatique se trouvent sur le dessus du pied, et vont de la base des orteils au sommet et au pourtour de la cheville. Ces zones nécessitent une pression plus légère que la plante des pieds.*

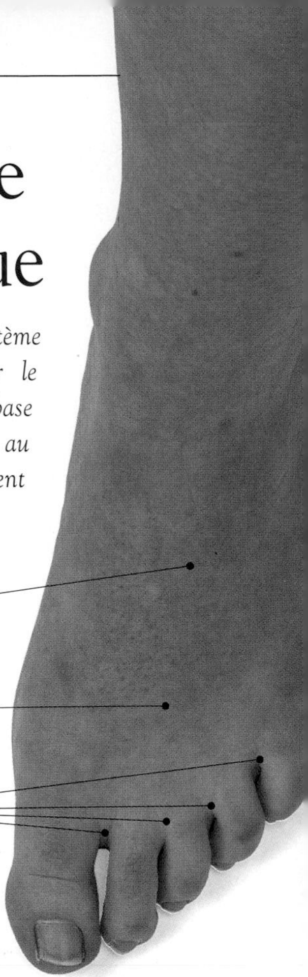

Ganglions abdominaux

Zone du thorax

Ganglions du cou et de la nuque

L e système lymphatique suit dans l'organisme un trajet parallèle à celui du système circulatoire. Constitué de vaisseaux, de glandes et de tissus spécifiques, il fait partie du système immunitaire.

CI-DESSUS **Les zones lymphatiques se trouvent sur le dessus des pieds.**

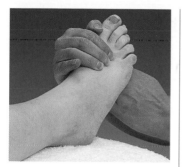

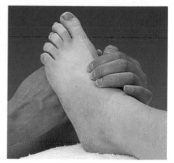

*1 La zone réflexe du canal
thoracique (partie du système
immunitaire située au milieu du dos)
va de la base des orteils à la ligne
du diaphragme sur le dessus des
pieds, couvrant la zone réflexe
de la poitrine.*

*2 Les zones réflexes des ganglions
abdominaux sont comprises entre
la zone thoracique et la ligne reliant
les malléoles.*

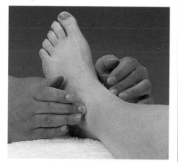

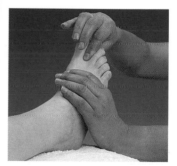

*3 Les zones réflexes lymphatiques
du bassin et de l'aine se trouvent
sur le dessus des chevilles et autour
des malléoles. Ces zones peuvent
être stimulées en cas d'infection
de l'aine ou du bassin.*

*4 Le drainage lymphatique
se pratique en pinçant la zone
située entre le gros orteil et le
deuxième orteil.*

Quelques exercices

UNE FOIS TOUTES les zones réflexes massées, le traitement se poursuit par quelques manipulations destinées à étirer les différentes zones plantaires et à vous détendre. Voici les principales :

ROTATION DES ORTEILS

1 En maintenant le pied avec une main placée juste au-dessous de la base des orteils, on imprime successivement à chaque orteil un mouvement de rotation, en le tenant entre le pouce et l'index de l'autre main.

2 La rotation doit s'effectuer plusieurs fois dans un sens, puis dans l'autre.

3 Cela équivaut à une rotation du cou, et permet de détendre la nuque. Une raideur du cou se manifeste très souvent par une forte rigidité des orteils, surtout des gros orteils.

PRESSION PAR TORSION DU PIED

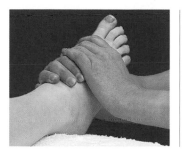

1 Les mains entourent le pied, les pouces sont placés sur la plante et les autres doigts reposent sur le dessus du pied. La pression doit être ferme sans faire mal.

2 Les mains serrent le pied en effectuant un mouvement de torsion, comme pour essorer un linge mouillé. Le pied est ainsi dénoué, et par conséquent le corps, comme lorsqu'on étire ses épaules en arrière ou que l'on prend une profonde inspiration en s'étirant.

La main droite exerce un mouvement de torsion vers l'intérieur

La main gauche exerce un mouvement de torsion vers l'extérieur

PÉTRISSAGE DU PIED

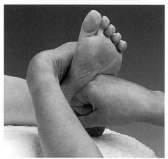

1 Le plat du poing serré est pressé sur la plante du pied au niveau de la ligne du diaphragme, l'autre main couvre le dessus du pied.

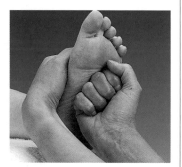

2 Les deux mains prennent le pied en étau en effectuant un mouvement de rotation. Cette technique contribue à relâcher le diaphragme et à relaxer tout le corps.

ROTATION DE LA CHEVILLE

1 Une main soutient l'arrière du talon, tandis que l'autre maintient les orteils.

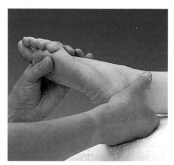

2 La cheville est tournée dans un sens, puis dans l'autre. Cette manipulation permet de dégager les articulations des chevilles et des hanches afin de permettre au flux d'énergie de circuler librement à travers tout le corps.

RESPIRATION PAR LE PLEXUS SOLAIRE

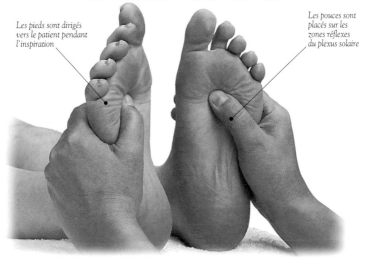

Les pieds sont dirigés vers le patient pendant l'inspiration

Les pouces sont placés sur les zones réflexes du plexus solaire

1 Cet exercice s'effectue à la fin de la séance. Les pouces sont placés sur les zones réflexes du plexus solaire, pouce droit sur pied gauche, pouce gauche sur pied droit. La pression s'exerce en même temps que le pied est ramené vers le patient et que celui-ci inspire profondément.

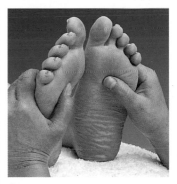

2 Après avoir retenu son souffle, le patient expire lentement tandis que les pouces relâchent la pression et que les pieds sont ramenés à leur position initiale.

Ce mouvement, répété trois ou quatre fois, permet de vérifier la capacité respiratoire du patient, et c'est une manière relaxante de clore la séance.

Les zones réflexes des mains

TOUTES LES ZONES RÉFLEXES *présentes sur les pieds se retrouvent sur les mains, bien que celles-ci s'avèrent un peu moins réceptives que les pieds à la réflexologie – sans doute parce qu'elles sont constamment sollicitées et généralement moins protégées. Les mains reçoivent le même traitement que les pieds, selon les mêmes techniques et dans le même ordre.*

Comme sur les pieds, la main droite correspond à la partie droite du corps et inversement. Les mains présentant une surface moins étendue que celle des pieds, les zones

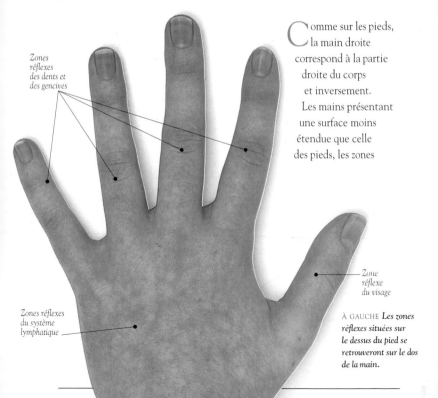

Zones réflexes des dents et des gencives

Zone réflexe du visage

Zones réflexes du système lymphatique

À GAUCHE *Les zones réflexes situées sur le dessus du pied se retrouveront sur le dos de la main.*

réflexes sont plus petites et plus difficiles à localiser.

Pourtant, certains trouveront les zones des mains plus sensibles que les zones plantaires.

Le praticien massera les mains des patients dont les pieds sont très sensibles ou chatouilleux, où lorsque le massage plantaire est impossible du fait d'une infection ou d'une lésion. Le traitement des mains peut également être recommandé pour ceux qui ont des difficultés à atteindre leurs pieds et désirent se traiter seuls.

Les zones longitudinales qui apparaissent sur les pieds et parcourent tout le corps se retrouvent aussi sur les mains. En revanche, il est plus difficile de faire correspondre les zones transversales aux différentes parties du squelette des mains.

S'il dure moins longtemps qu'un massage plantaire, le traitement complet des mains peut tout de même s'avérer efficace.

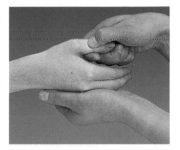

La zone réflexe du visage se trouve sur le dos du pouce, au-dessous de l'ongle.

La zone réflexe du poumon occupe le quart environ de la surface de la paume, juste au-dessous des doigts.

Ganglions lymphatiques de l'aine

Ganglions des aisselles

Ganglions du cou et de la nuque

À GAUCHE **Les zones lymphatiques se trouvent sur le dos de la main, de la base des doigts au poignet.**

51

Se soigner à la maison

RIEN NE VAUT *une séance chez un praticien qualifié ; mais il est possible de pratiquer la réflexologie chez soi pour soulager certains maux courants, en travaillant sur les zones réflexes des pieds et des mains.*

À DROITE
Traitement des zones plantaires.

LES CAS À NE PAS TRAITER

La réflexologie n'est pas recommandée dans certaines situations, ou bien le réflexologue conduira son traitement avec une prudence redoublée. Il est par conséquent déconseillé de tenter de se soigner soi-même dans les cas suivants :

- infections aiguës
- diabète
- épilepsie
- insuffisance cardiaque
- ostéoporose
- phlébite ou thrombose
- grossesse
- chirurgie de remplacement (ex. : prothèse de la hanche)

Repliez le genou de façon à voir la plante du pied

Affections courantes

LE PRATICIEN RÉFLEXOLOGUE *procédera toujours à un traitement complet. Néanmoins, certaines zones réflexes sont bonnes à connaître pour traiter soi-même les affections courantes présentées ci-dessous :*

ALLERGIES

• Zones réflexes des régions affectées, par ex. : nez, poumons, appareil digestif, peau (p. 35, 36-37)
• Zones réflexes des glandes surrénales, de la rate (p. 37) : pour réduire l'hypersensibilité.

ARTHROSE

• Zones réflexes des régions affectées, par ex. : hanche, genou, épaule, colonne vertébrale (p. 40-41, 32-33)
• Régions corrélatives
• Zones réflexes des glandes surrénales (p. 37) : action anti-inflammatoire
• Zones réflexes de la thyroïde et des parathyroïdes (p. 34-35) : équilibre en calcium
• Zones réflexes des intestins et des reins (p. 37) : pour une meilleure élimination
• Zones réflexes de l'hypophyse (p. 30) : équilibre hormonal
• Zones réflexes du plexus solaire (p. 37) : relaxation, antidouleur.

BOURDONNEMENTS D'OREILLES

• Zones réflexes des régions affectées : oreilles (p. 31)
• Les zones réflexes de la trompe d'Eustache et des sinus (p. 31) peuvent être en cause
• Zones réflexes de la colonne cervicale, du cou et des temps (p. 33, 30) : soulage la tension dans cette région du corps
• Zones réflexes du plexus solaire (p. 37) : favorise la relaxation
• Zones réflexes des glandes surrénales (p. 37) : action anti-inflammatoire et antistress.

CONSTIPATION

• Zones réflexes des régions affectées : gros intestin, rectum (p. 37, 38-39)
• Zones réflexes de l'intestin grêle et du foie (p. 36, 37) : en cas de dysfonctionnement
• Zones réflexes de la colonne lombaire (p. 32-33) : améliore l'action du système nerveux sur les intestins
• Zones réflexes des glandes surrénales (p. 37) : améliore le tonus musculaire des intestins
• Zones réflexes du plexus solaire (p. 37) : relaxation.

CYSTITE

- *Attention ! Consultez votre médecin ! Risque d'infections des voies urinaires !*
- Zones réflexes des régions affectées : vessie, canal de l'uretère, reins (p. 38, 36-37)
- Zones réflexes lymphatiques (p. 44-45) : pour éliminer l'infection
- Zones réflexes des glandes surrénales (p. 37) : action anti-inflammatoire.

DÉPRESSION

- Zones réflexes des régions affectées : tête (p. 30-31)
- Zones réflexes du plexus solaire (p. 37) : relaxation
- Zones réflexes des glandes surrénales (p. 37) : action anti-stress
- Zones réflexes de l'hypophyse et du système hormonal (p. 30) : équilibre hormonal.

DÉRÈGLEMENT DE LA THYROÏDE

- Zones réflexes des régions affectées : thyroïde (p. 34)
- Zones réflexes de l'hypophyse, des glandes surrénales et des glandes génitales (p. 30, 37, 42-43) : équilibre hormonal
- Zone réflexe du cœur (p. 35) : en cas de troubles circulatoires / cardiaques
- Zones réflexes des yeux (p. 31) : en cas de fatigue due au surmenage.

DIARRHÉE

- Zones réflexes des régions affectées : gros intestin, rectum (p. 37, 38)
- Zones réflexes de l'intestin grêle et du foie (p. 36-37) : en cas de dysfonctionnement
- Zones réflexes des glandes surrénales (p. 37) : action anti-inflammatoire, tonus musculaire des intestins
- Zones réflexes des ganglions abdominaux (p. 45) : en cas d'infection.

ECZÉMA

- Zones réflexes des régions affectées : par exemple le visage, les bras (p. 31, 41)
- Zones réflexes des glandes surrénales (p. 37) : en cas d'inflammation et de réaction allergique
- Zones réflexes des reins et des intestins (p. 37) : pour une meilleure élimination
- Zones réflexes du plexus solaire (p. 37) : relaxation
- Zones réflexes de l'hypophyse (p. 30) : équilibre hormonal
- Zones réflexes lymphatiques (p. 44-45) : en cas d'infection.

ENGELURES

- Zones réflexes des régions corrélatives : les doigts pour les orteils et inversement (p. 50-51)
- Zone réflexe du cœur (p. 35) : améliore la circulation
- Zones réflexes des intestins (p. 37) : pour une meilleure élimination
- Zones réflexes de la colonne cervicale et de la nuque (p. 32-33, 30) : lorsque les doigts sont touchés.

GOUTTE

• Zones réflexes des régions corrélatives : par ex., le pouce pour le gros orteil (p. 50-51)
• Zones réflexes des glandes surrénales (p. 37) : action anti-inflammatoire
• Zones réflexes des intestins, du foie et des reins (p. 36-37) : pour une meilleure élimination
• Zones réflexes du plexus solaire (p. 37) : relaxation, antidouleur.

GUEULE DE BOIS

• Zones réflexes des régions affectées : par ex., la tête pour les maux de tête (p. 30-31)
• Zones réflexes du foie (p. 36) : élimination de l'alcool dans l'organisme
• Zones réflexes des reins (p. 37) : pour une meilleure élimination.

HÉMORROÏDES

• Zones réflexes des régions affectées : rectum (p. 38-39)
• Zones réflexes des intestins (p. 37) : pour une meilleure élimination.

HERPÈS

• Zones réflexes des régions affectées : bouche, nez (p. 31)
• Zones réflexes du système lymphatique (p. 44-45) : pour lutter contre l'infection.

INDIGESTION

• Zones réflexes des régions affectées : estomac (p. 36)
• Zones réflexes de l'œsophage, du diaphragme (p. 35) qui interviennent dans le processus de la digestion
• Zones réflexes du plexus solaire (p. 37) : relaxation.

INSOMNIE

• Zones réflexes de la tête (p. 30-31) : relaxation
• Zones réflexes du plexus solaire (p. 37) : relaxation
• Zones réflexes des glandes surrénales (p. 37) : action antistress
• Zones réflexes des régions douloureuses qui peuvent être à l'origine de l'insomnie : par ex., la colonne vertébrale, les dents (p. 32-33, 31).

MAL DE DOS

• Zones réflexes des régions affectées sur la colonne vertébrale (p. 32-33)
• Zones réflexes du cou et du nerf sciatique (p. 30-31, 33) lorsqu'ils sont touchés
• Zones réflexes des glandes surrénales (p. 37) : action anti-inflammatoire
• Zones réflexes du plexus solaire (p. 37) : relaxation, antidouleur.

MAUX DE TÊTE

• Zones réflexes des régions affectées : tête (p. 30-31)
• Zones réflexes de la colonne cervicale et de la nuque (p. 30, 32-33) : diminution de la tension
• Zones réflexes du plexus solaire (p. 37) : relaxation
• Zones réflexes des yeux, des sinus, de l'appareil digestif, du foie, des glandes hormonales (p. 31, 36-37) – qui peuvent être concernées.

MONONUCLÉOSE INFECTIEUSE

• *Maladie infectieuse devant être déclarée ! Consultez votre médecin !*
• Zones réflexes des régions affectées : par ex., la gorge
• Zones réflexes du système lymphatique, de la rate, du thymus (p. 44-45, 37) : pour renforcer le système immunitaire et lutter contre l'infection
• Zones réflexes du plexus solaire (p. 37) : relaxation
• Zones réflexes de l'hypophyse (p. 30) : pour rétablir l'équilibre hormonal.

MUGUET

• Zones réflexes des régions affectées : utérus (qui correspond aussi au vagin, p. 43)
• Zones réflexes du système lymphatique (p. 44-45) pour lutter contre l'infection
• Zones réflexes des glandes surrénales (p. 37) : action anti-inflammatoire.

PELLICULES

• Zones réflexes du sommet du crâne (p. 30) pour le cuir chevelu
• Zones réflexes des glandes surrénales (p. 37) : action anti-inflammatoire
• Zones réflexes des intestins, du foie et des reins (p. 36-37) : pour une meilleure élimination.

PERTE DE CHEVEUX

• Zones réflexes des régions affectées : sommet du crâne (p. 30) pour le cuir chevelu
• Zones réflexes des glandes surrénales (p. 37) : action antistress
• Zones réflexes du plexus solaire (p. 37) : relaxation
• Zones réflexes de l'hypophyse (p. 30) : équilibre hormonal.

PROBLÈMES DE RÈGLES

• Zones réflexes des régions affectées : ovaires, trompes de Fallope, utérus, hypophyse, glandes surrénales (p. 42-43, 30, 34, 37)
• Zones réflexes du plexus solaire (p. 37) : relaxation.

PSORIASIS

• Zones réflexes des régions cutanées affectées : par ex., le visage (p. 31)

• Zones réflexes des glandes surrénales (p. 37) : anti-inflammatoire et antistress

• Zones réflexes du plexus solaire (p. 37) : relaxation

• Zones réflexes des intestins, du foie et des reins (p. 36-37) : pour une meilleure élimination

• Zones réflexes de l'hypophyse (p. 30) : rétablit l'équilibre hormonal.

RÉTENTION DE FLUIDE

• Zones réflexes des régions affectées, par ex. les jambes et les yeux (p. 41, 31)

• Zones réflexes des reins, du canal de l'uretère, de la vessie (p. 36-37, 33) : pour l'élimination des fluides

• Zones réflexes lymphatiques (p. 44-45) : élimine l'excès de fluide des tissus

• Zones réflexes de l'hypophyse (p. 30) : stimule la fonction rénale

• Zone réflexe du cœur (p. 35) : active la circulation.

RHUME DES FOINS

• Zones réflexes des régions affectées : nez, gorge, sinus, œil, tête, visage (p. 30-31)

• Zones réflexes des glandes surrénales (p. 37) : action anti-inflammatoire et antiallergique.

RHUMES

• Zones réflexes des régions affectées : nez, sinus (p. 31)

• Zones réflexes des glandes surrénales (p. 37) : action anti-inflammatoire

• Zones réflexes de la valve iléo-cæcale et des intestins (p. 37) : pour une meilleure élimination

• Zones réflexes des ganglions du cou et de la nuque (p. 44-45) : pour lutter contre l'infection.

SCIATIQUE

• Zones réflexes des régions affectées : nerf sciatique et arrière de la jambe (p. 33, 38)

• Zones réflexes de la colonne vertébrale (zones lombaire et sacrale), de l'articulation sacro-iliaque, des muscles pelviens, des genoux, des hanches, ou de toute autre région douloureuse (p. 32-33, 39, 41)

• Zones réflexes du plexus solaire (p. 37) : relaxation.

STRESS

• Zones réflexes des régions symptomatiques : par ex., la tête pour les maux de tête (p. 30-31)

• Zones réflexes des glandes surrénales (p. 37) : action antistress

• Zones réflexes du plexus solaire (p. 37) : relaxation

• Zones réflexes de l'hypophyse (p. 30) : pour rétablir l'équilibre hormonal.

SYNDROME DE FATIGUE CHRONIQUE

 • Zones réflexes des régions affectées : par ex., membres, système digestif, tête (p. 41, 36-37, 30-31)

• Zones réflexes du système lymphatique, de la rate (p. 44-45, 37) : pour renforcer le système immunitaire et lutter contre les infections

• Zones réflexes du plexus solaire (p. 37) : relaxation

• Zones réflexes des glandes surrénales (p. 37) : action antistress.

SYNDROME PRÉMENSTRUEL

 • Zones réflexes des régions affectées : ovaires, trompes de Fallope, utérus, hypophyse, thyroïde, glandes surrénales (p. 42-43, 30, 34, 37)

• Zones réflexes des régions affectées, selon les besoins : tête, abdomen, poitrine, vessie, reins, intestins, (p. 30-31, 36-37, 45, 38-39, 37)

• Zones réflexes du plexus solaire (p. 37) : relaxation.

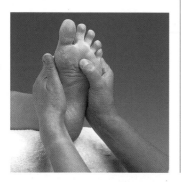

TOUX

 • Zones réflexes des régions affectées : poumons, gorge (p. 35)

• Zones réflexes lymphatiques (p. 44-45) : lutte contre l'infection.

TROUBLES INTESTINAUX

 • Zones réflexes des régions affectées : intestins (p. 37)

• Zones réflexes des glandes surrénales (p. 37) : contre l'inflammation et les allergies alimentaires

• Zones réflexes du plexus solaire (p. 37) : relaxation.

VARICES

 • *Éviter les massages virulents ! Attention ! Ne pas traiter soi-même en cas d'inflammations !*

• Zones réflexes des régions affectées : par ex., les jambes par le biais des zones réflexes du genou et de la hanche (p. 41)

• Zone réflexe du cœur (p. 35) : pour activer la circulation

• Zones réflexes des glandes surrénales (p. 37) : action anti-inflammatoire

• Zones réflexes des intestins (p. 37) : pour une meilleure élimination.

Bibliographie

GILLANDERS (Ann), *Manuel pratique et progressif de réflexologie*, éd. Le courrier du Livre, 1995.

INGHAM (Eunice), *Ce que les pieds peuvent raconter grâce à la réflexologie*, éd. G. Saint-Jean, 1981.

LANDSBERG (Roselyn), *Tout savoir sur le pied*, éd. Favre, 1988.

PIAZZA (Dalia), *Réflexologie du pied et de la main*, éd. de Vecchi, 1990.

TURGEON (Madeleine), *Énergie et réflexologie*, éd. de Mortagne, 1985.

TURGEON (Madeleine), *Découvrons la réflexologie*, éd. de Mortagne, 1980.

WILLS (Pauline), *Le bien-être par la réflexologie*, éd. Hachette, 1996.

Adresses utiles

The Bayly School of Reflexology
Monks Orchard
Whitbourne
WORCESTER WR6 5RB
Tél/Fax : 01886 821207
The Bayly School, *fondée en 1978, est représentée à Londres, Birmingham, Édimbourg, Leeds, en Australie, en Irlande, au Japon, au Kenya, en Espagne et en Suisse.*

ADIMED
Association de défense et d'information des utilisateurs de médecine douce
2, rue de l'Isly
75008 PARIS

Centre de réflexologie
37, rue Couëdic
75014 PARIS

Centre de réflexothérapie
ÉPIDAURE
(Stages organisés en France)
2, allée Jean Jaurès
81500 LAVAUR